VOL. 13

OSAMU NISHI

악마에 입문했습니다! 이루마 군

& STORY 캐릭터 소개 & 줄거리

스즈키 이루마

지나치게 착해빠진 상냥한 소년. 부탁을 받으면 거절을 못 한다. 위기 회피 능력이 뛰어나다. 인간이라는 사실을 들키지 않고, 악마 학교를 평온하게 다니고 싶다.

아스모데우스 아리스

파괴와 미덕을 관장하는 가계의 악마. 입시 수석인 우등생. 입학식에서 이루마 때문에 체면을 구기고 발끈하지만, 결투로 완패한 후 이루마에게 충성을 맹세한다.

《특기 마술=화염계 주문》

발락 클라라

밝고 활기찬 여자 악마. 항상 야단법석에 조용할 때가 없어서, 주위로부터 괴짜 혹은 희귀 짐승 취급을 당한다. 이루마의 상냥함을 접하고 감동해서, 좋은 친구 중 한 명이 된다.

《가계 마술=한번 본 물건은 뭐든 주머니에서 꺼낼 수 있어!》

CHARACTERS

샤크스 리드

이루마와 한 팀이 된, 도박을 좋아하는 악마. 바치코의 무리한 요구에 두 손 두 발 다 들고, 지금은 로빈 선생님에게 가르침을 받고 있다.

바르바토스 바치코

귀여운 외모와 달리, 제멋대로에 입도 험한 여자 악마. 그러나 사실 설리번 이사장이 인정할 정도의 명궁사. 이루마에게 궁술을 가르쳐준다.

사브노크 사브로

《가계 마술=무기 창조》
※깨문 물질과 같은 물질

마계에서 수백 년간 「공석」이었던 마왕의 자리를 노리는 거구의 젊은 악마. 자신의 생명을 구해준 이루마를 라이벌로 인정했다.

지금까지의 이야기

인간 말종인 부모님에 의해 악마에게 팔려버린 스즈키 이루마는 마계의 악마인 설리번의 손자가 되어 악마 학교, 바비루스에 입학한다. 인간이란 사실을 숨기고 조마조마한 학교생활을 보내면서, 악마 친구가 늘어난 이루마는 그런 생활을 점점 즐기게 된다. 그런 바비루스에서 가장 중요한 것은 수업을 통해 마계에서의 「랭크」를 올리는 것. 1학년 전원이 참가하는 서바이벌 시험 『수확제』에서 좋은 성적을 내서 랭크 승급을 노리는 이루마와 어브노멀 클래스 일동. 유명한 악마들의 혹독한 특훈을 견뎌낸 그들은, 다른 반 1학년을 압도하는데 성공했다. 이것도 전부 랭크 「4(다렛스)」로 승급해서 호화롭고 편안한 교실을 지키기 위해서였고…! 클래스메이트 전원이 날뛰는 가운데, 이루마만은 느긋하게 식사를 즐기고 있는데?!

CONTENTS

자아!
두근
그럼
1학년 총결산,
수확제~~.
두근
꾹…
스타트──!!
와
아
아
제107화 서바이벌 하이

제4블록
제107화 서바이벌 하이

오오~
정글 ~~.
높다~
꽃이야
어-이!!
잠깐만, 이루마!!
그렇게 어슬렁거리면 위험해! 이상한 식물이 있을지도 모르잖아!
그렇구나! 미안해!
캠핑이 아니었지

아~~
이루마는 도련님이잖아 ~~…
서바이벌은 경험해본 적 없을 테니 내가 정신 바짝 차려야 해…!
와~ 아~
빙글
빙글

이렇게 보니 확실히 마계란 느낌이 드네….
짹짹짹…
수상한 나무. 우거진 수풀.
뭐가 나올지 모르는 짐승길…
끼이
끼이
오오오
왠지 엄청…
갸-스 갸-스…
엄청….

싸
아
아
자아.
우선
어떻게
할까?
보아하니
이 근처에는
식재료가
적어.
탐색을 할까….
다른
포지션을 찾아
이동할까…….

이루마!
어느 쪽이 좋을 것 같아?

우선 사냥을 지나치게 하지 않는 것.
그게 중요 하려나요….

흐음
어떤 의미죠?
으——음
포인트를 모으는 것도 물론 중요하지만!
쓰담 쓰담
그게, 시간이….

6666분.
약 4일간의
서바이벌!
크르르르
호-호-
그동안
살아남으려면
환경에
익숙해지는 게
최우선이죠.

식재료로
포인트를
벌려고
체력을
너무 소모한
결과
나흘 동안
버티지
못하는
경우가
많습니다.
완전한
자급자족이니,
어느 식재료를
포인트로
제출하고
식량으론
무엇을
남겨둘지
항상
냉철하게
판단할
필요가
있죠!
아하
조바심은
금물인
거군요!

하지만 『익숙』해지는 데는 시간이 걸립니다.
더 빨리 자연에 적응한 자가 유리합니다만….
과연 다들 어떻게
이 난관을 돌파할지….

…이루마.
움찔
방금… 뭐라고…?

이 서바이벌….
덥석…
우리가
우선 해야 할 건…

영차…
착각이야.

??
차….
그래.
우리는
휴우….

원래 이 숲에서
태어났다고.
응애~
?!

리드! 발치에 있는 건 뭐야?!
척
으음, 나무 뿌리…?
아냐!!
베개!!
베개?!!

덩굴은 밧줄!!
바위는 의자!!
샤아ー아ー아ー아
푸, 풀은?
상의!!
상의?!

여기서 다시 밝히지만 스즈키 이루마(14)는
태어난 후 14년간 너무나도 가혹한 삶을 살아왔다.

무책임한
부모님에게
휘둘리며
온갖 고생을
경험했고
돈 때문에
동분서주
하며
목숨이
위험해지길
14년….
항상
겨우겨우
살아
남았다.

현재의
행복하기
그지없는
생활 때문에
After
Before
잊고
있었던
쉬익…
쉬익…
옛날
서바이벌
시절의
이루마가

고오오오오
지금 되살아 났다!!
물!! 수면!!
풀로 침대 만들기!!
그리고 밥!!
밥?!
포인트는?!

포인트는 나중에 생각해!!
우선은 집을 만든다!!
버럭
이루마, 시작부터 서바이벌 하이 상태.

그리고
그 엄청난
기백에
눌린 리드.
네….
네!
그리하여
둘은…

숲과
하나가
되기 위해
아—
아아—

아—
하하하
후후후후
하염없이
숲과
놀았고

그 모습
에서는
눈곱만큼도
긴장감이
느껴지지
않았다.

랄
라
랄랄
…이거,
수확제
맞지?
그래.

라
랄
랄
그리고
우리는
이루마의
식재료 포인트를
빼앗으러
온 거고?
맞아.

식재료를… 전부 먹어 치우고 있는데.
그러게.
맛있는
♪
♪

자아! 밥 짓기다! 맛있을 때다~♪

어이쿠.
이거 대단하군요!!

포인트를 노리던 학생들이 전부 돌아가 버렸습니다!!
어이없어…
돌아가자
돌아갈래
그럴 만도 합니다! 포인트를 전부 먹어 치웠으니까요!!

이제까지 이런 식으로 전투를 회피한 이가 있었던가요??!
꺄
꺄아

그래.
전투
회피!!
이걸로
됐어!!

포인트 욕심에
조바심에
사로잡히고,
곧 찾아올
밤의 불안이
냉정함을
빼앗는다….
부글
부글
피로는
서바이벌의
가장 큰
적이야.

첫날은
체력과 지식을
모으자!
포인트도 없으니
표적이 될 리도
없어!
먀나먀나
맛있어~
합리적이야!
역시
이루마는
책사다!!

처음에는 무슨 소리를 하나 했지만
어떤 식재료와 싸울지도 모르는 지금은 온존이 나아♪
너무 많이 먹는거 아냐?
뭐, 일단 포인트용으로 조금은 식재료를 숨겨뒀지만….
보험~…

부스럭
!!
아직 남은 녀석이….
아니면 마수…?!
헉

파안…
클라라

……?!
저게 뭐야….
고오오오오

제108화 마성의 퓨어
지난 편 줄거리.
정체불명의 생물과 마주쳤다.
빠
커맨드
▶싸우기
방어
길들이기
꿀꺽…
자, 잠깐만!
클라라야!
명찰 봐!
헉!!
진짜네!! 어, 클라링?!
클라라

후후후 들켰네.
부스럭
! 누님?!
우리 식재료를 빼앗으려고…?!
헉
이루마! 조심….
덥석

이루마~!!
샥
아이잉
어어어어어
잠깐….
후후,
안 돼.
남녀는
단둘이
있어야
하잖아.
응♡?

기뻐….
헉!!
아냐. 아냐!!
저기 말이야.
현혹되면 안 돼!!
두근
두근

우리, 식재료를 거의 못 얻었거든.
조금만 나눠줘.
스윽~
가까워~!!

아니….
없는데요.
큰일났다! 누님의 능력은
풀 러브 게이지
호감도!!
좋은 향기!
무지 좋은 향기 나!!
이 향기를 계속 맡았다간 매료돼서 식재료를 내주고 말겠어!!

이 식재료는 우리의 생명줄!
절대 넘겨 줘선 안 돼!!
정말~?
톡
톡
없어요!
진짜 없다고요!
계속 숨겨! 숨을 멈추고!
남자의 의지를 걸고 저항을…,
스륵
실례 할게요♥
꾸욱

뒤적
앗,
잠깐.
부스럭
뒤적
기다,
만지작
거긴.
만지작

무리 였어….
와아
에로한 여자애에게 저항할 수 있는 남자가 어디 있냐고!!!
젠자아아아아아앙.
그딴 건 얼마든지 줄 수 있지! 감사합니다!!

그래도 치사해, 누님. 풀 러브 게이지를 쓰면 저항할 수 없잖아~~.
흑
흑
어머.
안 썼는데?

뭐?!
무덤덤
그럼 안 쓰고도 이 위력이?!
그럼 어째서 ….
어어어
어머
전에 말했지?
내가 풀 러브 게이지를 안 쓰는 조건♡

그렇다!
리드는 전에 엘리자베타 에게서 능력의 사용법에 관해 물었다.
흥음~
여러모로 제약이 있거든?
밀실이라든가, 거리, …그리고

좋아하는 남성에게는 쓰지 않는다,
같은♡
퍼ㅡ엉!

그것은
즉,
누님….
어?
그럼…

누님이
꺄아
나를
좋아하는
거야??!!
맙소사, 맙소사,
맙소사, 맙소사,
맙소사, 맙소사,
맙소사, 맙소사.
어버.
버….
음음~
그래도
놀랐어.

리드라면
더 많이
수확했을 거라고
생각했는데….
역시
어렵나
보네….

여기
있습니다.
윽

보험의
보험.
비밀
주머니에
넣어뒀죠.
어머~
드리겠
습니다.
대단해~!
역시
리드야!
에이~~~~.

저기,
저쪽에 밥도
있으니까,
그, 누님이
나를
좋아한다는
것에 대해
자세히….
후들
후들
후들
후들
응.
다른 애들과
똑같이
좋아해!
어?
나,
어브노멀 클래스
모두를
좋아해~!
모두
좋아해
쨍
그랑
…….

좋아 한다는 게
그런….
털썩
그렇다.

익스 엘리자베타는
남성을 차별하지 않는다.

풀 러브 게이지 라는
누구에게나 사랑받는 능력을 지닌 그녀.
그렇기에 자유로운 사랑을 아름답다고 생각한다.

정열적인 사랑.
비련.
약탈애.
순수한 호의. 온갖 형태의 사랑을 동경해왔다.

그리고 생각했다! 저분이 내 운명의 남성일까.
저분이라면 능력을 안 써도 타오르는 사랑을 할 수 있을까.

리드는 지금
남자로서 좋아한다는 게 아니었던 거냐….
하며 죽어가고 있지만.

아니다! 그런 게 아니다!
그녀에게는…

모든
남성이
연애
대상!!

모든
남성이
그녀에게는
왕자님인
것이다!!

라임이
그녀에게
「야망이 뭐니~?」
하고 묻자
「멋진 낭군님과
행복하게
사는 것♡♡」
이라고
대답했다.

그러자 라임이
처음으로 한
특훈이 바로
『온갖
유혹 수단을
가르쳐
주는 것』….

유혹에 있어
가장
어려운 것은
「상대를
좋아할 수
있게 되느냐
아니냐」.
온갖 남성을
연애 대상으로
삼을 수 있는
그녀가
온갖 기술을
손에
넣는다면….

그 누구보다 순수한
쪽
마성의 여자가 탄생한다.

표정이 휙휙 변하네.
리드는 참 귀엽다니깐…♡

그럼
식재료, 고마워♡

좋아해
…….
…아
아
쏴

저기.
…….

꼬옥
저기,
클라라…
나….
클라라가
아무 말도
안 하다니….
요즘 같이
안 놀아줘서
화난 걸까.
클라라….

쑤우욱!!..
?!
어두….
찰칵

까꿍.
이루마찌 포획!
이히히

제109화 클라라의 장난감 상자
영차.
우후훗~
리드한테 식재료를 받았어~.
순조롭네~. 자아….
싸아아…
클라라는… 잘하고 있을까….

까꿍.
두근

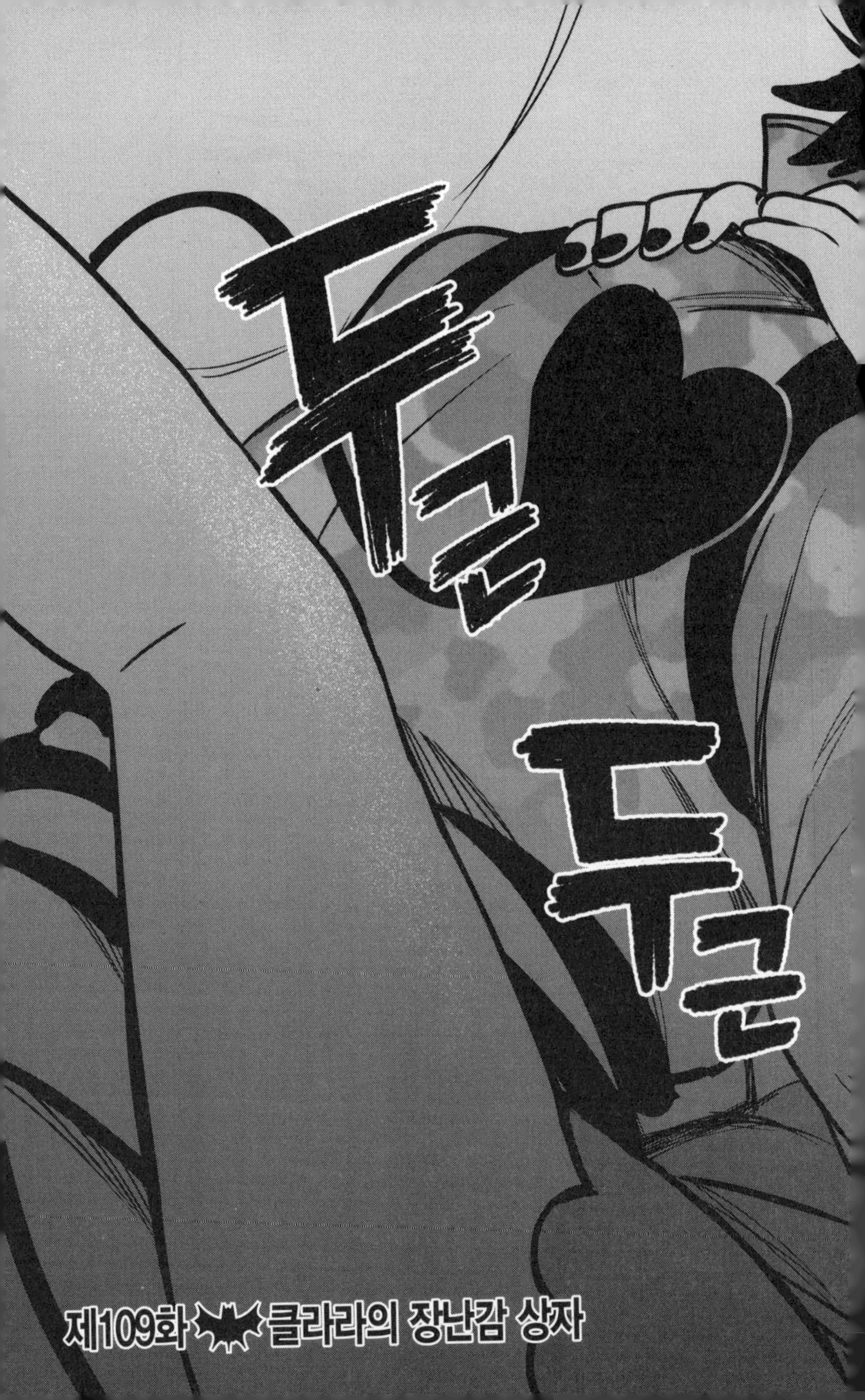
두근
두근
제109화 클라라의 장난감 상자

크,
클라라!
?!
?!
이루마찌,
잡았다~.
헤헤헤헤.
흔들
흔들
까, 깜짝
놀랐어….
꿀꺽!!
그치~?
IN
이루마찌,
오랜만이야~.
응, 응.
꾸엑.
조
좁아.
꾸우욱
저기~.

나.
특훈에서
이것저것
배웠어….
그러니까
이루마찌한테
꾹
보여
!
줄게.
어.
스
잠깐….
으윽

또옥
파아
아
?!!

어.
여, 여기는 ….
랄
랄
라
응?
쫑
앙
꼬―――마
엇.
좋아!! 놀자!!
어어…??!

어서 와!
여기는
좋아하는 걸
뭐~든
꺼낼 수 있는
『클라라의
장난감 상자』
예요!!
클라라의
장난감
상자.
발락가 가계 능력
「불러내기(토이토이)」와
라임이 가르쳐준
환술을 합친 마술.
클라라의
옷 안으로
끌어
들이는 게
조건.
진화
그리고
끌어들인
사람을
엄청 즐겁게
해주기 위해
어린애로
만들어!!
그런
거랍니다!
와아아아.

그러니까
놀자,
이루마찌!!
뭐?!
이것저것 있어!
가시가시
볼 커스텀!
덥석와득
그림책!
피범벅
고부갈등
놀이 세트!
하지만
지금은….
추천
하는 건
이거!
숨바꼭질을
하면서 오델로!
공격도 가능!!
『숨바델로』 게임!
흐흥~
때려라!
숨바델로!!
…

그게
뭐야?!
엄청
재밌겠다!!
할래~
그치?!

이루마도
놀 때가
아니라는 건
알고 있다.
하지만
이 공간은
재미로
가득하다!
그렇기에
─….
간다~!!

놀고 싶은
마음을
주체할 수
없다!!

마음껏 즐겨,
이루마찌!
여기까지는
사부님의
작전대로!
잘 들어,
베이비 양,
네 매력은
『자유로움과
놀라움』.
이 두 가지를
활용하면,
그 어떤 악마도
너에게 홀딱
빠질 거야!!

그리고 라임에게 지도를 받아 창조한 『즐거움에 매료되는 공간!』
『쓰러질 때까지 놀게 되는 장난감 상자!!』
가득 가득
참고로 이 마술은
『걸려든 자의 마력을 빨아들인다』 라는 무시무시한 측면도 지녔지만….
본인은 알지 못했다.
홀딱~!!

그렇게 특훈은 진행됐고….
정말 무시무시한 기술이야…!!
싸부!!
홀딱 빠졌어?!
그래….
하아—
하아—
자아, 이번에야 말로
이루마찌를…
나한테 홀딱!
빠지게 만들어야지!!

홀딱!!
데—엥

?
나도
쓰러졌어.

어라~?!
어느새?!
왜지…?!
?!
?!

언니나 싸부 때는
체력 분배를
할 수 있었는데….
헉
아차!
너무
놀았다간
…….
헉
이루마찌!
괜찮….
아하하
하하!!
대단해~.
쓰러졌어~!
놀다 지쳐
쓰러진 건
처음이야!
역시
클라라는
대단하네~!
대단해
~!!
푸하아
꺄아
?!
꺄아
어.
아,
…응?

으음,
나 말이야,
잘 놀지는
못하지만
클라라와
노는 건
너무 즐거워.
꼬물
참 따뜻하고
행복해…….
나…
클라라와
노는 게
정말 좋아.
락
와

…그래.
이루마찌는
나에게 홀딱
빠졌구나.
?
?
그리고
나도
쓰러졌다는
건…
부우…

나도
홀딱
빠졌다는
거야….
부우
무승부
네…!

데굴—
그럼
어쩔 수
없네…!
나도 말이지?
이루마찌와
노는 게
저~~~엉말
정말 즐겁고
재미있어….

제일
좋아.

어….
클….
쮸이이이익

안녕~♡
휴―
다행이야!
둘 다 이제야 정신이 들었구나!
?
어….
밤이네!!!
깜깜

이, 이렇게 시간이 흘렀다니….
언니——!
여러 친구들에게 식재료를 받아 왔어~
그대로 계속 놀았다면….
꿀꺽…
이루마…
리드?!
괜찮아?!
정, 말~
어쩔 수 없네~.
이번에는 이쯤에서 봐주겠어!

여자
악마는…
무시무시
해…!
야생아 팀
0P
매혹 팀
+5400P

수확제 첫날,

밤.

제110화 비명이 울려 퍼지는 밤

자아~~ 어둡고 불길하며

불안에 휩싸이는 쓸쓸한 밤… 입니다만

우~
「둥지 다람쥐」
동그란 눈동자는 어둠을 꿰뚫어 보며, 잠든 적을 습격한다.
꾸
구
구구구
쿡
「스테이크 박쥐」 맛있어 보이는 향기로 사냥감을 유인해 피를 빤다.
와아아아아
배고파아아아아아아
끼야아아아아아
히익
이쪽 이야!!
그래!

이쪽이야~
이쪽이야…
냐
「새머리풀」 새 머리가 사람 목소리를 흉내 내서 사냥감을 유인한다.
암

우히이이익
꺄아아아~
끼이이이이익
밤은
약해진
학생을
놓치지
않는다.
낮에 너무
움직인 탓에
판단력 및
체력이 저하.

매년
부상자가
속출하는
첫째 날 밤!!
히익~
패닉이
패닉을 부르고
마음이
꺾이죠….
그렇게 되면
결국….
끄으으응
끄
으윽.

기권~!!!
휘익
커르베로

뷰트—!!
파직
파지직…
흥….
이 마수의
포인트는
네놈에게
가산되지
않을 줄
알아라.

젠장~
질질질…
휴우…
안내 담당을 따라가라.
네
정말.
꾸욱-

나까지 현장에 파견되다니….
첫째 날은 어쩔 수 없습니다.
부상자가 속출하니까요!
이쪽~
네
정신 차리세요
으으으윽
구호반
부에르 불셴코
힐
능력 : 반영구

아야야
야야야.
자아~.
참아,
참아.
남자애잖아~
치료가
끝난 사람은
서둘러 학교로
이동하도록~.

젠장~~!!
첫째 날을
버티지 못했어!!
흑
한심해~
흑
으흑
항상
5분의 1은
여기서
탈락하지.
이제
슬슬…
환각계
입니다~.
부탁드려요~
후후후후후
어
왔군.

우와~.
예쁜 꽃.
솜사탕 인가?
여기는 낙원이야~.
기분 좋아~.
쑤욱

덥
석
주르륵
정신 차려!!
주르륵

이게 뭐야
어.
우왓.
환각 덩굴이야. 완벽하게 걸려들었는걸-.
『환각 덩굴』 환각으로 사냥감을 둘러싼 후, 서서히 잡아먹는다
여기에도 있어-.
후후후후
오-
늦지 않아서 다행이야….
우왱
역시 자력으로 도움을 요청 못 하는 학생에게….
주르륵
주르륵

그의 힘이
필요해.
~~♪

자아.
다음으로
도움이 필요한
학생은
있는 곳은~?
스윽…

톡

두둥
저쪽 방향이
신경 쓰이네
—.
라저!!
오리아스가
가계 능력
러키 해피
:행운
모든 사상이
그에게 유리하게
움직이는
『절대운』을
지녔다.
찾았습
니다~!!
오~
러키~♥
그럼
다음~.
네!!

오리아스
선생님과
카르에고
선생님이
계시니 안심!
이군요!

오리아스가
감독을
맡은 후로
수확제에서의
사상자는
대폭 줄었다.
정신
들게 하는
약~
네~
헤헤
헤헤
헤…

방심하면
안 돼.
내 운으로도
커버하지
못하는 경우가
있거든.
오오
오오
오오
오
수확제의
밤은
낮보다 더
소란하다….

비명이
메아리치고,
짐승의 안광이
사냥감을 찾지.
수확제에서는
한 번 발목을
잡힌 자부터
나락에 떨어지기
마련이야….
후다다다닥

히이이이이익
지쳤어~.
땀 범벅
이야~.
무서웠어~
배고파아
~~.

기권 할까…?
하아~
이제 한계야.
어?!
하지만

2학년이 되면 반이 바뀔지도 모르니까
조금만 더 함께….
힘내고 싶어….

그… 렇지.
조금만 더
부스럭
다 같이 힘을….

크
워어
역시 기권할래~!!
우아아아아아
반짝
잡아먹히겠어-!!
파아아아
?!
저…
빛은
대체—
….

성이다……
두둥
개구야야야—
움찔

실례
어엉
덜
합니다~!!
덜컹
쿵쿵
크르르르릉
히익!!

크르릉
갸오
휴-….
여기는….
화르륵
!!

!
내 성에
함부로
들어와…
슈
욱
…

헉.
목소리?!
누구야
….

스
르
륵
방해한
자는….
내
잠을…

미,
미….
헉.

누구냐고,
두
둥…
너희들.

미남
이다~!!
두그~은

서
걱

풍년, 풍년~.
자아, 그럼 귀가하도록 하지요~.
제111화
친구 100명, 만들 수 있을까
다녀 왔소-
역시 돌아올 성이 있으니 사냥도 마음 놓고 할 수 있소이다!
아가레스 공! 죽과 밥 중 어느 게 취향이시오~?
화-잔

습격――!!
히이이이익
꺄아아아악
끄아아아
두근두근웅
털썩――!!
꺄아――
예뻐
귀여워
우와――
제111화
친구 100명, 만들 수 있을까

오호라. 마수에게 습격을….
으르르릉
고생이 많았소이다….

아뇨…
죄송해요….
날뛰어서…
미남을 봤더니 무심코….
반성
빠안—…
우~음
일종의 수렵 본능이….

그래도 놀랐어! 숲속에 이렇게 어엿한 성이 있잖아!
얏!
그게
아가레스 공의 가계 능력 이올시다.

흙과 나무도 지면의 일부라고 인식해 조립하는
가게 능력 : 마이 에어리어 침상의 응용판….
성이라기보다… 여기는 내 침대 위야.

침대 위…
왜 좀 기뻐하는 건데
대
대단해!
아가레스는 알레프 「1」 랭크지?
뭐…
스파르타녀 밑에서 구르다 보니….
아무튼!
내 침상에 함부로 들어오다니!
그거 먹고 빨리….

나가
푹 쉬시지요.

왜?!
마수 천지인 숲에 내던져버리다니, 좀 안됐잖소.
차 다시 끓여오겠소이다~
저 오지랖 바보!
수확제 중이라는 걸 알고는 있는 거냐…!!
저기~ ….

아가레스와
가프는
사이가 좋아?
사적인
관계가
궁금해
뭐?!
…그렇지
않아.
저 녀석이…
바보 같을
정도로
오지랖이
넓을 뿐이라고.
띠리리링
띠리리링
아가레스
공~!
학교
갑시다~~!

덜컹…
시끄러워.
좋은 아침이오~!
정말
매일 매일….
있잖아,
나는 자고 싶어.
학교는 최소한의 출석 일수만 채우면 돼.
알았어?
그러니까….
출발
걱정 마시오!!
소인이 학교까지 옮겨 드리겠소!!
아침도 준비했소이다!!
엉
내 말 좀 들어.

영문을 모르겠네!
나를 챙겨준다고 너한테 득이 될 건 없잖아….
그렇지 않소!
왜냐하면
소인의 야망은 『친구 100명 만들기』!
이니까요!
?!
뭐?
그러니 겉도는 이를 내버려 두지 못하지요!
뭐… 항상 너무 챙겨준 바람에
소인과 거리를 두게 되지만….
추―욱

하지만 폭기는 안 한옹!
이해가 안 돼….
하아~. 정말. 알았다, 알았어.
뭐. 힘내라고.
활짝
그럼 가시지요~
시끄러워 뛰지마
그 후로도 틈만 나면 나를 돌본다며 오지랖을 부렸고….
끈질기고, 졸리고, 귀찮아서, 그냥 내버려 뒀는데

그것도
한계가
있어서….
부글
부글
짜증나….
악주기가
다가왔나….
귀찮아~~…
자자~~…
옴뭘 옴뭘
덜컹
아가레스 공~!
재미있는 장소를
발견했소이다!
같이 가시지요!!
됐어
…….
안 가
정말 재미있는
곳이외다!
가시지요!
아니,
됐다고.
괜찮소이다!
소인이
옮겨드리지요!!
울컥…
됐다잖아!
되게
시끄럽네~!!
움찔!

엄청
화냈어.

아무리 나라도 짜증의 한계였거든. 그 후로 엄~청 풀 죽어서 돌아가더라니깐.
엄청 말 많네…
나로선 참을 만큼 참았거든?
잠든 사이에 멋대로 옮기지를 않나. 완전 유괴잖아.
하아~~
솔직히 지긋지긋 했어~.
겨
결국 사이가 좋지 않은 걸까….
소곤
소곤
차~
질색 하는 것 같잖아 ….
소곤

무슨 이야기를….
키샤야야야야
!!
꺄야야야야야
이게 무슨 소리야…?!
오오오오오
밖에서…?!

누군가가 밖에서 습격을 당한 게….
누게이이어
괘, 괜찮을까….
…가프.
오오오

저
벅
가지 마.

이제 그만해.
이건
수확제라고.
저 넷만 해도
성가신데,
더 구해줄
생각이냐?
우리한테
득 될 게
전혀 없잖아.
꿀꺽

하지만 아가레스 공이라면 이해해 줄 거잖소?
파아-아야
…
아…. 정말이지….

쿠에에엥…
잘 수가 없어….
이불 A
잠이 안 와. 완전 최악…….
원인이 대체 뭐냐고….
으~ 으
베개 A

그렇게
화냈으니까….
더는
안 올….
띠리리리링
움찔!
주먹밥
아가레스
공~!!
학교
가시지요
~!!
?!
너, 너…
어제 일
기억
못 해…?
?
화냈던
것…?
말이옵?

그래도 배고플 것 같아서….
이 녀석…
…아아.

검사면서
?
타인과의 거리를 잴 줄 몰라….

대체 뭐냐고.
바보같아…
추욱
알고 있어. 그러니까….
정말 지긋지긋해.

네 오지랖에는
브레이크 따윈 안 달려 있잖아.

너덜…
죄
죄송하오….
이제 됐어.
하아~
빨리 들어와…. 밖에 있는 녀석도….
!
아가레스 공…. 고맙소!

자아.
다들 들어오시오.
우
하아~
지쳤어—

오오~
크네
히익—
…큰

웅성
웅성
살았어~
시끌
넓어~
시끌
이게 뭐야

가프,
이 바보!!
이걸 다 어쩔 거야!!
어?!
어?!

제112화 자랑스러운 제자들
지장(智將)
푸르푸르 중사
서큐버스 교사
라임
오열 여제
웨파르

조교 신사
Mr.햇
그럼…

에-이!
건배~~~!!
제112화 자랑스러운 제자들
수확제
본부 옆
텐트
와하하하
저 텐트는 뭐지…

라임 양~! 여기 앉아!
어~
터치 금지야!
어버
저기, 술을…
어버
저는 홍차로 하지요.
똑똑
웨파르 양 물 탈래?
이런 곳으로…
락으로…
펄럭
실례합니다!
어머!!
이사장님~!
…
야호~
와아~

우리도 좌담회에 끼~워~줘~.
바치코 양도 같이 말이야!
좋아~
혼자서 구경하고 있길래 끌고 왔어.
이 자식! 야 이루마! OP가 뭐냐!

고명한 악마 분들과 함께하게 되어서… 기, 기뻐요….
네
이야~
같은 3대 영웅의 가게잖아. 친하게 지내자고~.
그런데
무슨 이야기를 나누고 계셨죠?
물론!
수확제에 관해서!

현재 배치는 이래!
짜 잔
어험
대략적 배치
블록
1
2
3
4
조교사의 관점에서 말하자면……
빡

LIVE
제2블록
케로리&카무이
합계 14200 수확 포인트
레이디
L 케로리&
젠틀
G 카무이의
짐승 통솔 팀은 매우 유능해!!
짐승을 사냥하는 게 아니라 공존한다!
우후-
와우
수확제의 역사를 살펴봐도 이렇게 많은 마수를 거느린 학생은 없겠지요!

이 기품있는 아름다움을 보시죠!
왕국…
하지만
짐승을 상처 입히지 않고 우승한 분이라면 있긴 해.
아하
발람 선생님!
마생물에 관한 지식을 최대한 활용해 포인트를 마구 벌어들였다니깐.
그립다—!
발람 시치로(학생 시절) 수확제 최종 결과 단독 55000P로 우승!
뭐
그에게는 우수한 어드바이저도 있었지.
후룩…
하지만… 기왕 길들일 거면…
빡

이성이 최고 아냐~?
잔
LIVE 제4블럭
화
섹시함만 본다면 그녀들이 최고야♡
공주대접
클라라&엘리자베타 합계 9400 수확 포인트
우왓.

성(性)을 거역하는 것보다 어려운 건 없거든.
아~
라임 양이 옛날에 수확제에서 쓴 테크닉 이구나!
강했지~

끝까지 안 통하는 남자가 있어서…
뭐
나는 우승을 못 했지만….
끄응…
저기, 하지만
특기 분야를 살리는 학생이라면—… 이쪽에도 있어요!!
빳
아
LIVE 제그블럭
안정된 요새를 건축하고!
두둥
신속한 공격 마술로 마수를 사냥한다!
가프&아가레스 + 피난 학생 합계 8200 수확 포인트+ ???P
웅성
웅성
웅성
이 수확제에서 가계 마술을 가장 능숙히 사용하고 있는 건, 저들! 이에요!!
미어 터지는 듯 합니다만….

거점이
있다는 건
강점이지요.
어떻게
되려나.
이 애들…
응
응
그러
니까!
공수
상관없이
이득만
챙긴다!
이게
편해서
좋아!

재즈&알로켈
합계 12800 수확 포인트
품속으로
파고들어
머리를
풀회전시켜
표적을
선정한
후…
훔친다.

그런 약아빠진 녀석이 있다면 이기지 않겠어?
하하하
악~ 랄해~
흠
호오….
그럼 종합적으로 볼 때 지금 가장 우승에 가까운 건….

우리 제자라는 뜻이
군요. 네요. 구나.
어?

와
아
잠깐만,
섹시함이
최고거든!
그,
그렇지
않아!!
우리
애들도
대단
하거든?!
짐승을
거느린
자야말로
정점에
걸맞습니다!
이성만 노리면
포인트가
부족하다구요.
짐승을
공격 못 해선
많은 포인트를
얻는 건
무리야!
교활한 쪽은
입 다물고
있어요!!
가,
가계 마술이
최고예요!
다들 진정해~.
어차피
도토리
키재기인걸.
우리 애들도
능력이
세거든?!
시끌
우리 애
우리 애
시끌
어~이
저기,
저기~.

정말~
자기 제자들 이야기만 하고 말이야~.
이루마 군의 팀도 있잖아!
…….
이루마 군.

LIVE 제4블록
그러니까! 희망이 있긴 한 것 같아!
흠
흠
하지만 제대로 좋아한다고 말한 건 아니라….
이루마&리드
합계 0 수확 포인트

사랑 이야기를 나누고 있네.
훈훈하네~
아하하핫
음
…….
귀여워~
수확제 중이란 자각이 없는걸.

첫날 밤
시점에서
0포인트!
이 팀은
틀렸어!
움찔

뭐
그건
그래.
과거에 첫날
0포인트였으면서
우승한 녀석은
없잖아!

이대로
가면
우승은
고사하고…
탈락이나
하게 될걸?
그렇
지는….

아앙?

헛소리 마, 짜식아!
우리 이루마를 얕보지 말라고!!
어—!!
좋아! 술 가져 와!! 까놓고 이야기 해보자고!!
어
술 마셔?!
오오~
좋지, 좋아!
이런 타입, 좋아해—!!

이렇게
건배예-
밤은 깊어 갔고

각자가
크르릉…
첫째 날을 넘기며…

내일에
대비해

천천히
잠에
빠져
들었다….

하지만
그중에는

한숨도
자지 않는
이들도
있었다.

휙!
체력이 꽤 좋은데~.
아앙!!
으...
처
밤샘 전투에는
억...
익숙 하거든!!

1번 블록
첫째 날 낮
쏴
아
아
…
척
승부!!
이 앞의 동굴에 있는 보스급 식재료를 먼저 사냥하는 쪽의 승리!!
이긴 쪽에게 모든 수확 포인트와 스승님을 넘긴다!!
이러면 괜찮겠지?!!
제113화
진흙탕 형제의 도발

아니,
괜찮지 않아.
아앙?
멋대로 이야기를 진행하지 마.
미안하지만 승부는 거절하겠어.
빙글
너희와 승부하는 것보다 단독으로 사냥을 하는 편이 효율적이고
스승님을 되찾고 싶다면 본인과 이야기를 나눠.
(이루마 님에게 칭찬받기 위해) 우리는 우승을 해야만 하니까….

도망치는 거구나.
우 뚝

겁먹었나 보네! 아앙!
겁먹은 거야, 아앙! 저 자식들!!
흥ー
훗~
온실 속에서 자란 도련님이니까
승부 같은 건 무서운 거겠지~. 틀림없어.

나약한 놈.
겁쟁이.
고오오오오오오
소심 엘리트.
얼간이 근육.
그 외 각종 욕설.

어디
해보자고.
우랴아아아아아아아아아아앗.
캬아앙

동쪽 동굴 보스급 식재료
백타사과
수확 포인트 10800P
목에 달린 아름다운 열매는 아름다울 뿐만 아니라 맛있지만
그 이름대로 백 번은 때려야 겨우 떨어지는 강도를 지녔다.
80….
큭.
아직도 안 떨어지는 거냐!!
처억…
어이!

샤
우왓.
악
타타킥
주의! 열매를 공격하면
엄청난 위력의 발차기를 날린다.
윽.
끽
어이, 어이~! 공격 맞은 거 아냐~?
깔
깔
이게!
반응하지 마라.
조바심 낼 필요 없어. 발람 선생님의 수행 덕분에 전투에서 밀리진 않아.
하지만 성가신걸….

휘
익
캬
아
앙
압도적인
사정거리,
진흙탕 형제
형 · 이치로
민첩한
창놀림.
체술도
뛰어나.
전투가
뛰어난
형과
꾸욱

두뇌파인 동생.
다음은 이쪽.
진흙탕 형제
동생・니로
이쪽 이구나!
적절한 지시와 그를 수행할 신체 능력.
위.
세련 되면서도
연계에 틈이 없어….

그러니까! 좀 떨어져 있으랬잖아!!
아앙!!
동굴 안이지 않느냐! 그것도 한도가 있다!
그에 비해 이쪽은…
어이, 수석! 불꽃을 너무 많이 뿜지 마라!
앞이 안 보인다!!
어라
내부 분열이네.
뭐야~
저속해~.
시끄럽다!!
진정해!!
발끈해서 너무 나섰다고, 멍청아! 좀 더 신중하게….
하아-
수석씩이나 되어서 배짱이 없군요~.

고
85!!
오오
아앙
아앙
나는 괜찮아! 강하니까!!
어이, 네놈도 돌격 바보이지 않느냐!!
시끌
시끌
하하하.
이렇게 간단히 걸려들 줄이야….
진짜 바보네.

우리의
주식은

『이성』.

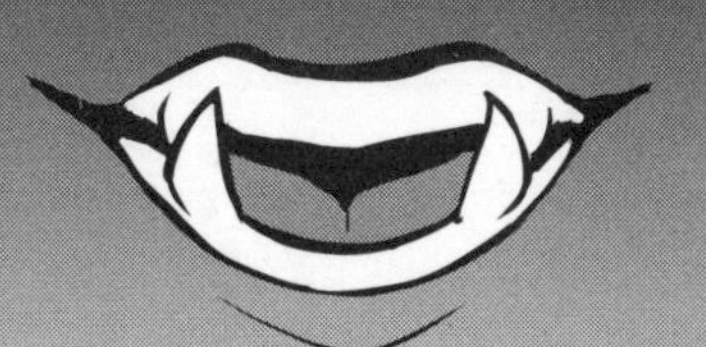

우리는 괴조.

선동 공작(안드로알레프스).

가계 능력

『역린(스위치)』.

승부에 있어 이성은 핵심.
이성을 잃은 짐승만큼 제어하기 쉬운 건 없다.

야금야금 이성을 잃게 해서…
상대가 자신의 상태를 눈치채지 못하게 한다.
하아…
이제 거의 다 됐어….
하아…

더욱 분노하고,
감정을 뒤흔드는
말을 고른다.
말의
강력함은
곧 마술의
강력함.
너희에
대해선
철저하게
삐
조사해뒀어.
자아….
『스위치』를
눌러볼까.
아아
그래
가지곤
마왕도,
그
오른팔도
될 수
있을 리가
없지.
2

걸려
들었다.
수확제에서
학생을
공격하는 건
금지되어 있어.
『공격』이
우리에게
닿은 시점에,
녀석들은
탈락이야!!

악마에 입문했습니다! 이루마 군
OSAMU NISHI

형!
그래!!

이 녀석들이
스승님의
제자에 걸맞지
않다는 걸 알면
스승님도
분명
돌아올 거야.

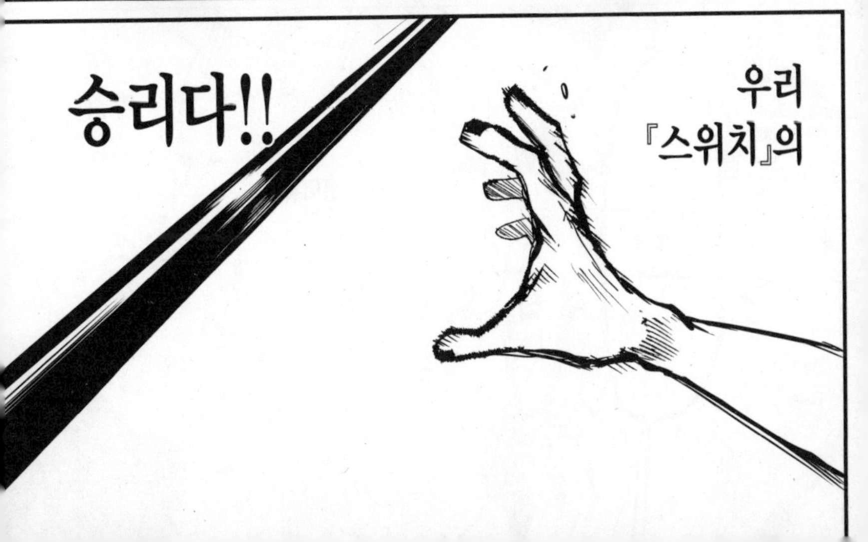
우리
『스위치』의
승리다!!

화
르
!!
어, 어이! 뭐 하는 게냐!!!
닭잖느냐!
시끄러워.
고마워하기나 해.
휴우…!
화륵
제정신으로 되돌려 줬잖아.
!

어떤 정신 지배 마술…. 계열인가 본데
화제를 잘못 골랐어.
슥…
야망에 관해서
흥!
그리고 저 바보의 얼굴을 보고 이상하단 것을 눈치챘지.
평소의 배는 더 멍청해 보였거든.
나는 이미 야단을 맞았거든!!
어이! 누가 멍청해 보인다는 것이냐!
그 마술은 이제 안 통해!! 자아, 다시 시작하자….

우리를 우롱한 것을 후회….
…을.
크…
부들
…먹을….
부들
빌어 먹을.
빌어먹으으으을
들켰ㅆ다아아아아아아
쩌렁
쩌렁

…
거의 다 됐는데!! 젠장, 젠장!!
아앗
이건 아니잖아, 빌어먹을!
으으으, 열받아!!
시원시원하게 분통을 터뜨리는군.
아앙
당연하잖아 아아!!

우리의 가계 능력 『스위치』는 특별한 기술!!
스승님이 칭찬해주신 능력이라고!!

우리가
질색했던
이 목소리를
좋아하게
만들어준
사람.
우리는
스승님
에게
구원
받았어
…!!

『선동 공작』 안드로 알레프스 일가
가계 능력 :
스위치
역린
제114화 전장의 스승

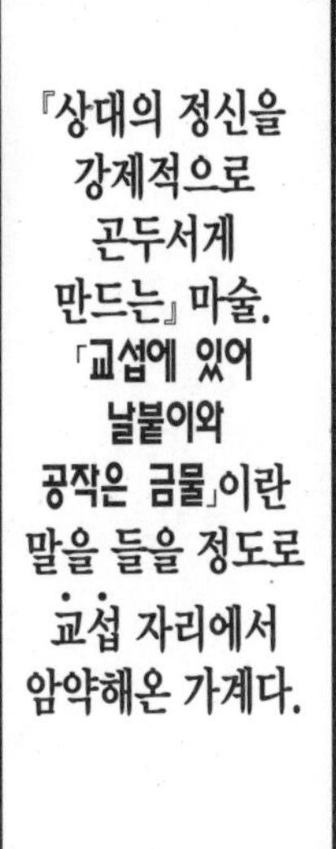
『상대의 정신을 강제적으로 곤두서게 만드는』 마술.
「교섭에 있어 날붙이와 공작은 금물」이란 말을 들을 정도로 교섭 자리에서 암약해온 가계다.

우리도 어릴 적부터
교섭술을 배워왔다.

하지만
우리가
동경한 것은
전장의
영웅.
마계전기
최강의전사
역시
전장을 향한
동경을
버리지 못한
우리는…
바비루스에는
들어갔지만

입학 하자마자 탈주.
연줄도 없으면서 무턱대고
가장 격렬하다는 소문의 북방의 전장에 들어갔고
즉시 빈사 상태가 됐다.
그런 한심한 우리를 거둬준 이가

스승님
이었다.
괜찮나?
스승님을
우리를
자기 부대에
받아줬고
단련
시켜줬다.
체술,
전술,
그 외에도
많은 것을
배웠다.

스승님! 스승님은 왜 가면을 쓰고 있는 거야?!
으음~. 뭐, 여러 가지 이유가 있지만…
전장에서 표정을 감추기 위해서… 일까.
오오~
역시 스승님은 멋져! 안 그래? 안 그래?!
휴유-!
응! 체술도, 마술도 뛰어나잖아!
우리가… 잘하는 거라곤…
상대를 화나게 하는 것 뿐인데….
이런 가계 마술…. 칭찬받을 일도 없고, 주변의 미움을 받기만 해…. 어둠 속에서만 활동하는 비겁한 놈들이라면서….

흥
그거 괜찮은걸.
어….
『스위치』였나.
상대의 이성을 빼앗을 수 있다면 전투에서 매우 유리해지지.
교란과 양동… 동료의 사기를 올릴 수 있을지도….
술
전략
기
기초

야, 양동?
그런 건 생각도 못 했어….
너희의 목소리는 무기가 돼.
비겁해도 돼.
쓸 수 있는 건 전부 쓴다, 전력을 다한다.
그게 전장이지.
그런데도 가계의 이름이 족쇄가 된다면
내가 너희에게 새로운 이름을 주마.

그날부터
우리는
『진흙탕 형제』.
『형 이치로,
동생 니로』로서
이 목소리를
싸움에 활약하며
전장에서
이름을 날렸다.
겨우 스승님께
도움이
될 수 있어!!
드디어
보답할 수
있는 거야.
그렇게
생각한
직후….
교사가
된다고?!

갑자기
요청이
들어왔거든….
하지만
스승님은
가고 싶지
않은 거잖아?!
그건
…….
그럼….
따악
휘리릭
!!
가야만
해…….
미안하다.
잠깐,
기다려
주세요!!
스승님!!
스승님!!
스승님의…
그…
아아….
지금도
생각나.
스륵…

흑
슬픈
흑 표정을….
훌쩍
나는
갈 테니
남은 일을
부탁해~.

다녀 오겠 습니다~
푸르푸르 중사님~!!
스승님
(푸르푸르 중사)이
떠난 후….
우리에게
맡긴 일을
후딱
처리하고
정보란
정보는
다 긁어
모았다.
바비루스
어브노멀 클래스
특별 고문….
스승님이
담당하는 건
누구지…?
뻔해!!
우리
스승이잖아!
가장 랭크가 높고
무투파인 녀석!!
바로
아스모데우스
아리스와
사브노크
사브로
팀이야!!
푸욱

이 녀석들이
우리에게서
스승님을
빼앗은 거야!!
그렇다.
말도 안 되는 착각에 빠져 있었는 것이다.
눈치챘겠지만
아스모데우스
팀의 스승은
푸르푸르 중사가
아니라 발람.
즉,
이 형제는…

울컥
용서 못 해!!
스승님을 돌려달라고, 짜샤!!
스승님은 싫어했다고!
학교에서 학생에게 특훈을 시키는 걸 말이다!!
엥
라고 생각하고있다 중사
이라고 생각하고있다 발랑
기뻐하는 것 같았는데 말이지….
앗
가르치는 게 즐겁다고 했었어….

아냐!
스승님은
격식
차리는 걸
싫어해!
자유롭게
싸우며
여자와
노닥거린 후,
또 싸웠어!!
냐하
하하~
여자 앞에선
좀 지질하고
술버릇도 나쁘지만,
전장에선
최강이야!!

여자 앞에서
지질하고,
술버릇이
나빠??!
발람 선생님에게
그런 일면이…??!
의외
…

그래도 인망이 있다는 게 스승님의 대단한 점이야!!
전장에서는 얼마나 인기가 많은데!!
와아아아아
학교에서도 엄청 인기 있으면서 두려움의 대상이 되고 있지?! 안 그래?!!

인기…?
뭐, (마구 만져대며) 기분 나쁘게 구는 탓에 두려움의 대상은 되고 있다만….
으아—!
기
기분 나쁘게 굴어?!

어이! 너무하잖아!! 그분은 영웅이라고!!
뭐
강하긴 하지.
오라는 그다지 없지만.
아앙?!
오라 그 자체잖아!! 걸어 다니는 오라라고!!
음
으—음

그 이상으로…
갑자기 쓰다듬는 건 그만 하셨으면 좋겠어.
좋아 좋아 좋아~
음
그때는 이 몸도 놀랐지.
뭐?!
쓰담쓰담을 받은 건 우리도 몇 번 없는데
발끈
그만했으면 좋겠다고…!

오오오오오
역시 네놈들에게
스승님은 과분해!!
최대 성량으로 박살 내주마.

찌릿
찌릿
우리의 『목소리』가… 악마에게만 통한다고 생각하진 마라!
아
야
우워워어어어ㅡ어

번뜩
펄럭
!!
마수의 이성이 …!
그와아아아양
커어

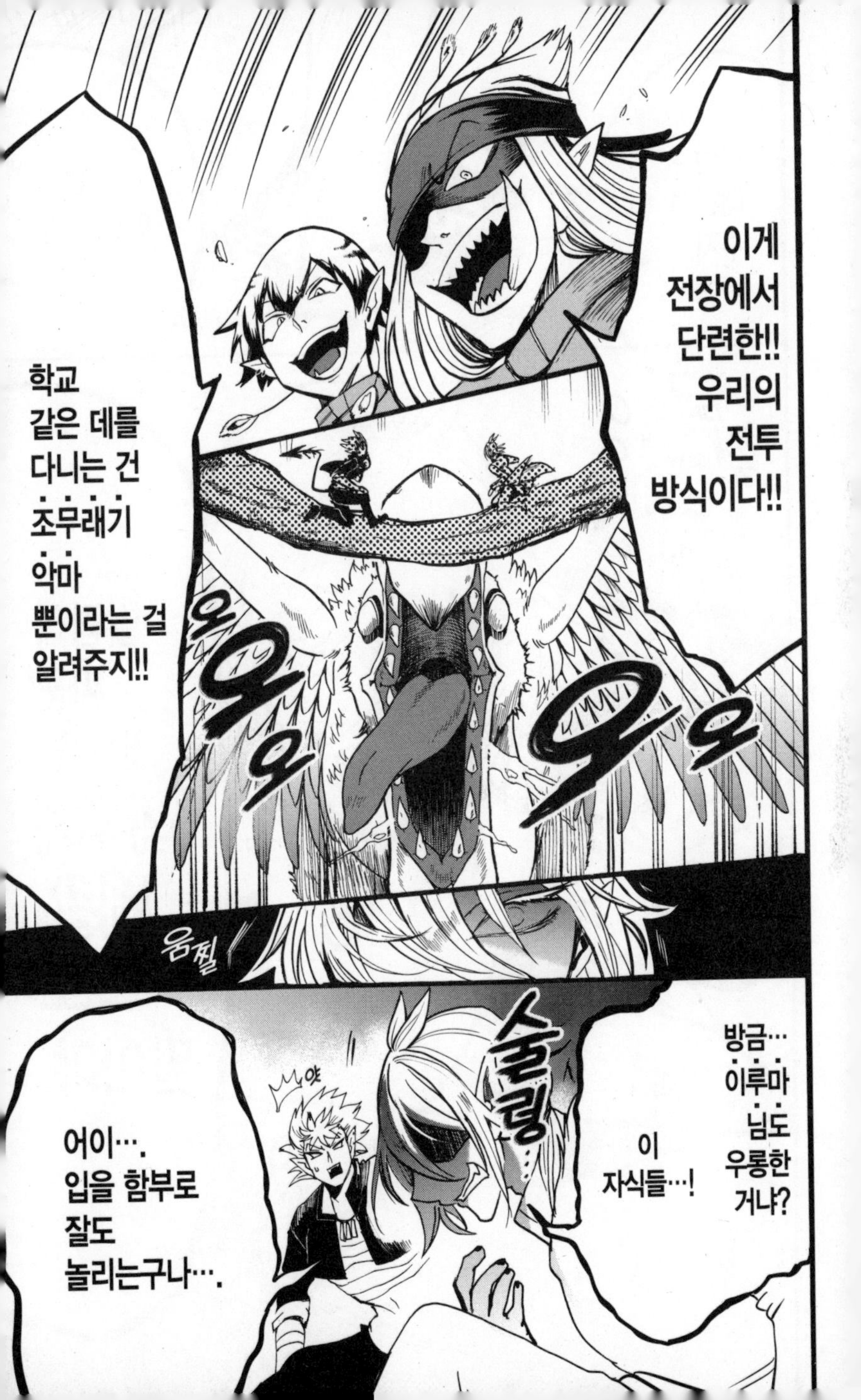
이게 전장에서 단련한!! 우리의 전투 방식이다!!
학교 같은 데를 다니는 건 조무래기 악마 뿐이라는 걸 알려주지!!
오오오
오오오
움찔
방금… 이루마 님도 우롱한 거냐?
술렁…
이 자식들…!
얏
어이…. 입을 함부로 잘도 놀리는구나….

좋다.
이성 따위
두두
두…
직접
내던져
주지.
발람식
싸움
필승법
『악주기
해방』
으로
말이야.
어이
인마
그만해라
슈르륵…

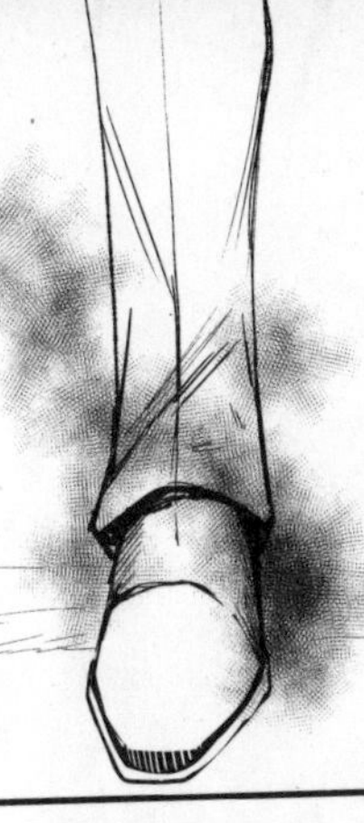

제115화 악주기의 아즈

마력은 향상하지만

이성은 잃게 된다.

전장에도 악주기의 악마가 잔뜩 있어서

우리는 이미 익숙하다고 여겼다.

그래서
이해가
안 된다.
어째서
저렇게 아름다운 춤을 추듯

폭주할 수가 있는 것인지를…
부웅부웅
제115화 악주기의 아즈

응
콰아아아앙

『비노!』
(미덕과
파괴로!)
어이
저 위험한
악주기는
뭐야?!
저딴 건
우리도 본 적
없다고!!
그것보다
그것보다
어떻게
악주기에….
저
멍청이
….
멋대로
가라
앉기는
…!

짜 잔
이게 악주기가 되는 약,
이게 억제제.
입니다
수상…
아니!
수상하긴 하겠지만! 내가 제대로 감수해서 만든 거야! 희귀한 약이거든?!
음…
이제부터 가르쳐줄 건 싸움에서의 히든 카드!
비장의 패!
!
너희는 악주기와 일상기를 반복 경험해줘야겠어!
그러면 …….

여차할 때 직접
악주기를 해방할 수 있지.

악주기의 원인은 주로 스트레스.
그것을 억지로 끌어내니 스트레스도 곱절.
마력도 대량으로 소모할 거다.
하지만 그만큼, 풀스로틀로 싸울 수 있지.
그 모습은 그야말로
『원조 회귀』에 가까우며….

악마 『아스모데우스』는 「미덕」과
「파괴」를 과자와하는 악마다
!!
사과가…!

헉
빙―글…

크
아앙
오오오
위험해….
빨라….
저 녀석의 공격이 우리에게 명중하면 녀석은 실격!
하지만 그 전에! 저런 위력의 공격을 맞으면… 죽어!!

파괴.
화
파괴.
르
륵
저
불꽃은
위험해…!
어
잇
그만해!
안 들리는
거냐?!
파괴.
파괴.
형!!

파괴…

키워드?
그래
악주기에서 되돌아오기 위한 말을 준비해두자.
그 말을 들으면 돌아올 수 있도록 몸에 새기는 거야.
그러니 꼭 두 명이 필요한 거지.
상대가 가라앉으면 다른 한 명이 키워드로 끌어올려주기 위해.
강하게
마음을 흔드는 말로.

이크두마!!

이루마….
이루마….
이루마….

이루마…

펄
그대의!!
야망은?!
물론!!
이루마 님의 창이 되는 것!!

좋다.
터억
음
헛
내가….
마구 날뛰었느니라.
휴우….
이게
그래…. 왠지 개운해졌어….
멋대로 굴어놓고 할 소리냐!!

『악마에 입문했습니다! 이루마 군』 제⑬권/끝

읽어주셔서 정말 감사합니다.

THANK YOU FOR READING

〒102-8107 東京都千代田区飯田橋2-10-8

秋田書店 週刊少年チャンピオン編集部気付 **西修先生**宛

후기

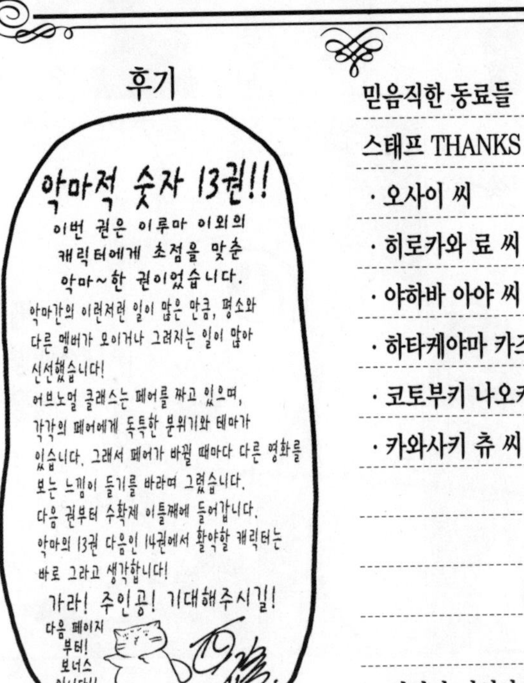

믿음직한 동료들

스태프 THANKS

- 오사이 씨
- 히로카와 료 씨
- 아하바 아야 씨
- 하타케야마 카즈타카 씨
- 코토부키 나오키 씨
- 카와사키 츄 씨

감사, 또 감사

애니메이션 1화를
같이 봤다!!
항상 폰의 배터리가
반죽음인 사람

- 담당자 니시야마 씨

일상 보너스

등교 중
클라라의 노래에 잠이 깨네….
둠칫
두둠칫
어느 날~
숲속에서~
얏
아는 동요와 비슷해….
패왕 데스페랑가 씨를~
만났다~.
잠깐만.
패왕 데스페랑가 씨가 누구야?!
세계를 제압하고 네 개의 비보를 손에 넣은 전설의 왕자.
그런 분이 숲에?!

데스페랑가 씨는 말이 통하는 분이니까 동료로 삼아 세계 정복을 하는 거야.
하아~
뭐가 패왕 데스페랑가 냐!
노래
찰싹
찰싹
거기서는 마왕 이루마 님이어야 하지 않느냐!!
정정해라!
뭐?!
어느 날~ 마왕 이루마 님이~
강림(두둥) 두 시종을 거느리고~
간다! 세계 정복~
오오~
…,
행진곡 이야.
녹음
그리고 퍼져나가는 악명.
마왕 이루마 행진곡….
히이이익

107화의 보너스

112화의 보너스

112화의 보너스

방심 금지

2023년 12월 25일 제1판 제1쇄 인쇄
2023년 12월 30일 제1판 제1쇄 발행

작가 | OSAMU NISHI
번역 | 이승원

발행인 | 오태엽
편집팀장 | 이수춘
편집담당 | 이혜리
표지 디자인 | Design Plus
라이츠사업팀 | 이은선, 조은지, 정선주, 신주은
출판영업팀 | 김정훈, 이강희
제작담당 | 박석주

발행처 | (주)서울미디어코믹스
등록일 | 2018년 3월 12일
등록번호 | 제 2018-000021
주소 | 서울특별시 용산구 한강대로 43길 5

인쇄처 | 코리아 피앤피

MAIRIMASHITA! IRUMA-KUN vol.13